LAS AVENTURAS DE TOM SAWYER

MARK TWAIN

EDITORES MEXICANOS UNIDOS, S. A.

BIBLIOTECA
ESCOLAR

D. R. © Editores Mexicanos Unidos, S. A.
Luis González Obregón 5, Col. Centro,
Cuauhtémoc, 06020, Ciudad de México
Tels. 55 21 88 70 al 74
Fax: 55 12 85 16
editmusa@prodigy.net.mx
www.editoresmexicanosunidos.com

Coordinación editorial: Mabel Laclau Miró
Diseño de portada: Carlos Varela
Formación y corrección: equipo de producción de
Editores Mexicanos Unidos, S. A.

Miembro de la Cámara Nacional
de la Industria Editorial. Reg. Núm. 115.

Edición: 2017

ISBN 978-607-14-1534-9

ISBN (título)   978-607-14-1534-9
ISBN (serie)   978-607-14-1012-2

9 786071 415349

Impreso en México
Printed in Mexico

Índice

INTRODUCCIÓN

⁂

Mark Twain (1835-1910), cuyo verdadero nombre fue Samuel Langhorne Clemens, nació en Florida, una pequeña aldea del estado de Missouri; y, como dato curioso, fue el primer escritor norteamericano que utilizó una máquina de escribir.

Además de escritor (señalaba Ernest Hemingway que "toda la literatura norteamericana moderna proviene de Mark Twain") fue minero, reportero, periodista, incansable viajero y un gran humorista.

Fascinado por el habla dialectal de sus contemporáneos, así como por el gran río Mississippi, incorporó ambos a su literatura. Tres de sus mejores obras —*Las aventuras de Tom Sawyer* (1876); *Viejos tiempos en el Mississippi* (1883), y *Las aventuras de Huckleberry Finn* (1885)— se desarrollan en parte o completamente a lo largo de este río, escenario propicio de múltiples aventuras.

El libro que tienes en tus manos es una versión resumida de *Las aventuras de Tom Sawyer*. Tal como indica su título, narra las aventuras de un chico llamado Tom, muchas de las cuales, según afirma el propio autor, sucedieron en la realidad.

En un solo verano se condensa un conjunto de aventuras que, probablemente, nosotros no viviremos en toda una vida, a no ser que nos dejemos llevar por el mágico río de la literatura, a fin de compartir con Tom, Huck y sus amigos ese reino de maravillas, alegrías y temores.

¿Quién no ha soñado alguna vez con ser pirata y vivir en una isla desierta, o con encontrar un tesoro? O, sin ir más lejos, ¿a quién no se le ha antojado faltar un día a la escuela, quitarse los zapatos, pescar y vagabundear todo el día como Huck? Todos estos deseos forman parte de esta novela que han gozado por igual niños y adultos; ya que, como diría Nietzsche, "en todo hombre vuelve un niño que quiere jugar".

CAPÍTULO I

✦

—¡Tom!...

Nadie contesta.

—¡Tom!...

Sigue el silencio.

—¿Dónde se habrá escondido este muchacho?... ¡Tom!

La vieja tía bajó sus anteojos y miró por encima de ellos alrededor del cuarto; luego se los subió a la frente y siguió buscando a su sobrino. En verdad los anteojos sólo los usaba por pura elegancia. Eran su orgullo aunque no le servían demasiado para ver, sobre todo si era para buscar al desobediente Tom.

Salió hasta la puerta y buscó con su mirada entre las plantas de tomate y las hierbas del jardín. Ni sombra de Tom. Entonces gritó con fuerza:

—¡Tom!... ¡Tom!

Oyó tras ella un ligero ruido, se volvió y descubrió a Tom tratando de escapar. En ese instante lo atrapó de la chaqueta.

—¡Tom! ¿Se puede saber qué hacías en esa despensa?

—Nada.

—¡Nada! Mírate las manos y la boca. ¿Qué es lo que tienes?

—No sé, tía.

—Pues yo si lo sé. Es dulce. Mil veces te he dicho que si no dejas en paz ese dulce te voy a despellejar. Dame esa vara.

La vara en las manos de la tía empezaba a agitarse en el aire.

—¡Dios mío! ¡Cuidado, tía! ¡Detrás suyo!

La anciana volteó rápidamente tratando de esquivar el peligro y saber qué sucedía. Éste fue el instante que aprovechó el chico para escapar corriendo, brincar la valla de tablones del jardín y desaparecer tras ella.

Todo fue tan rápido que la tía Polly se quedó sorprendida. Después se echó a reír bondadosamente.

—¡Diablo de chiquillo! Jamás aprenderá. Aún no me he acostumbrado a sus trampas, que por cierto me tiende a diario. Pero las viejas bobas somos más bobas que nadie. Es cierto que "perro viejo no aprende nuevas gracias", como suele decirse. En verdad el chico parece que tuviera el diablo en el cuerpo; pero ¡qué le voy a hacer! Es el hijo de mi pobre hermana muerta y no tengo entrañas para pegarle. Si alguna vez logro hacerlo, me remorderá la conciencia y se me partirá el corazón… Seguramente esta tarde faltará al colegio y, como castigo, mañana deberé obligarle a trabajar todo el día. Será duro para él, ya que es sábado y todos sus amigos estarán jugando mientras él trabaja, con lo mucho que le fastidia hacerlo.

Efectivamente, Tom se escapó del colegio y regresó justo para ayudar a Jim, el negrito, a cortar leña. A la hora de la cena todos se sentaron a comer: la tía Polly, Tom y Sid, su hermanastro. La tía trató de indagar sobre lo hecho por Tom esa tarde. En verdad la anciana estaba casi segura de que el niño había faltado a sus clases.

—Tom, ¿hacía mucho calor en la escuela esta tarde? ¿No sentiste deseos de ir a nadar?

Tom sintió una desagradable sensación que le recorría todo el cuerpo.

—No —contestó con cuidado—, no mucho.

La tía notó que la camisa estaba seca y se alegró pensando que su sobrino no le había mentido, aunque seguía dudando.

—Algunos chicos nos mojamos la cabeza en la llave… La mía está húmeda todavía, ¿ve?

—Tom, para mojarte a cabeza no habrás tenido que descoser el cuello de la camisa, ¿no es eso? Desabróchate el saco.

El cuello de la camisa estaba perfectamente cosido. La anciana quedó a medias contenta, pensando que Tom alguna vez se portaba bien. Casi se estaba convenciendo, cuando Sid dijo:

—Me parece que tú le habías cosido el cuello con hilo blanco, y éste es negro.

—Así es. ¡Yo lo cosí con hilo blanco!

—Sid, ¡ésta me la pagas! —fue lo único que Tom pudo atinar a decir.

Al rato había olvidado todos sus pesares, sobre todo porque un nuevo y poderoso interés los borró de su mente. Éste consistía en una manera nueva de silbar que acababa de aprender de un negro y que deseaba practicar sin que nadie le molestara. Así es que se dedicó a ensayarlo varias veces, y con su boca repleta de armonías y el alma llena de júbilo echó a andar por el atardecer del verano.

Todavía no había oscurecido cuando se detuvo a la vista de un extraño. El desconocido era un chico algo más alto que él, y estaba muy bien vestido para un día entre semana.

Llevaba ropa nueva, gorra impecable, zapatos, tenía corbata y un aire prepotente que llenó de furia a Tom.

Cuanto más lo observaba, más desarrapado se sentía, sobre todo frente a la expresión desdeñosa que mostraba el otro chico.

Al enfrentarse, se miraron con recelo. Ninguno se atrevió a decir una palabra. En cambio, se movían en círculo y se estudiaban las expresiones de sus caras. Hasta que Tom habló:

—Yo te puedo…

—Me gustaría que lo intentaras.

Se produjo una pausa cargada de odio. Luego Tom dijo:

—¿Cómo te llamas?

—¿Y a ti qué te importa?

—Ya verás cómo me importa.

—Pues demuéstramelo.

—Claro que te lo demostraré. Con una mano atada te puedo dar una paliza. ¡Te crees mucho con ese sombrero!

—Atrévete a tocarlo y verás.

—Si dices algo más te tiro una piedra a la cabeza.

Entonces empezaron a empujarse, hombro con hombro.

—Vete de aquí —dijo Tom.

—Vete tú —le contestó el otro.

Y así siguieron cada uno apoyado en una pierna, empujándose con todas sus fuerzas y mirándose con rabia sin poder aventajarse.

Después de un rato de hacer fuerza, rojos y acalorados por la tensión, se separaron un poco. Tom dibujó una raya en la tierra con el dedo gordo del pie y dijo:

—Si pisas esta raya, soy capaz de pegarte hasta que me pidas perdón.

El forastero la pisó enseguida, diciendo:

—Ya está.

En ese mismo instante los dos rodaron revolcándose en la tierra. Agarrados "como dos gatos", durante un minuto forcejearon jalándose del pelo y de las ropas. Se golpearon y arañaron sin cesar, hasta que Tom logró montarse sobre el chico nuevo y aprovechó para molerlo a puñetazos.

—Date por vencido —le dijo varias veces.

Al fin el forastero balbuceó:

—Me… doy.

—Eso es para que aprendas y te fijes con quién te metes.

El vencido se fue, sacudiéndose el polvo de sus ropas en medio de hipos y sollozos.

Ya era de noche cuando Tom llegó a su casa. Trepó a la ventana muy silenciosamente, sin embargo, se halló con su tía, que al ver el estado de sus ropas afirmó su decisión de que el día sábado no sería de fiesta para Tom, sino un cautiverio de trabajos forzados.

Capítulo II

❧

Llegó el sábado. La mañana se veía llena de luz y color; todo el paisaje mostraba vida, una invitación para la diversión y la alegría. Tom apareció en la calle con su bote de cal y una gran brocha. Observó la empalizada con profunda tristeza: ¡veinticinco metros de valla de más de dos metros de alto!

Lanzando un suspiro, mojó la brocha y la pasó a lo largo del tablón más alto, repitió la operación y se sentó descorazonado a meditar. Pensaba en los otros chicos que ese día estarían divirtiéndose y que se burlarían de él al verle trabajando.

Entonces tuvo una inspiración. Tomó la brocha y siguió pintando tranquilamente en el momento en el que llegaba Ben Rogers comiendo una manzana y emitiendo sonidos de buque, campana y capitán, y dando órdenes en medio de resoplidos, pitadas y chillidos. Tom siguió pintando sin prestar atención a su amigo; pero de todos los muchachos éste era de quien más temía las burlas. Ben se detuvo:

—¡Eh! ¡Oye! ¿Qué te pasa? ¿Te has vuelto loco?

Tom, haciéndose el distraído, aplicó una suave pincelada y observó con aire de importante artista su obra. Se volvió hacia el chico y, como si recién entonces advirtiera su presencia, dijo:

—¡Hola, Ben! No te había visto.

—Tom, me voy a nadar, ¿quieres venir conmigo? Aunque veo que tienes que trabajar.

—Es verdad —respondió Tom—, pero a Tom Sawyer le gusta. ¿Acaso se le presenta todos los días a un chico la oportunidad de pintar una valla? Además, tía Polly me ha confiado este delicado trabajo sabiendo que sólo yo puedo hacerlo perfectamente.

El aire de importancia que mostraba Tom y su comentario tan seguro convencieron un tanto a Ben.

—Tom… déjame probar… un poquito nada más.

Tom se hizo del rogar un poco más, afirmando que la tía Polly sólo confiaba en él, pero al fin accedió mostrando un rostro de preocupación hacia afuera y una gran sonrisa de satisfacción para sus adentros.

Y mientras Ben trabajaba sudoroso bajo el rayo del sol, el "artista retirado" se sentó sobre un barril a la sombra, comiendo la manzana de Ben mientras planeaba el degüello de otros inocentes.

Cuando Ben se sintió cansado, ya Tom había vendido el turno siguiente a Billy Fischer por una cometa en buen uso; y cuando éste quedó aniquilado, Johnny Miller compró su puesto con una rata muerta y un piolín para hacerla girar; y así siguió hora tras hora. Al llegar la tarde, Tom, que durante la mañana estaba en la miseria, ahora nadaba en la abundancia.

Tenía varias canicas, parte de una corneta, un trozo de vidrio azul de botella para mirar a través de él, una llave incapaz de abrir nada, un pedazo de tiza, un soldado de plomo, un par de renacuajos, seis cohetes, un gatito tuerto, un tirador de puerta, un collar para perro, el mango de un cuchillo y un marco de ventana.

El resultado no podía ser más grato, ya que había pasado una tarde deliciosa sin trabajar y la tapia tenía ¡tres manos de cal!

Tom pensaba entonces que había descubierto que el mundo tiene cosas buenas, sobre todo lo curioso: que para que alguna persona anhele tener o hacer algo, basta con presentarle dificultades para conseguirlo. Y precisamente era esto lo que Tom había hecho con sus amigos.

Muy satisfecho se presentó ante la tía Polly, que estaba sentada junto a la ventana abierta de una de las habitaciones. La tibieza del aire estival, el olor de las flores y el zumbido adormecedor de los insectos había producido su efecto, y la anciana se encontraba cabeceando. Estaba segura de que Tom había desertado hacía ya mucho rato, por lo que se sorprendió al verlo entrar con tanta seguridad.

—¿Puedo ir a jugar, tía?

—¿Qué? ¿Tan pronto?… ¿Cuánto has blanqueado?

—Todo, tía.

La tía Polly salió a ver por sí misma y tuvo que rendirse ante la evidencia: la valla estaba completamente pintada y más aún, ¡repintada! Se puso tan contenta que le regaló a su sobrino una manzana seleccionada mientras le daba una conferencia sobre la virtud de ser trabajador. Mientras cerraba el armario, Tom le escamoteó un buñuelo.

CAPÍTULO III

Tom salió a la calle a jugar a los soldados con sus amigos. Cuando volvía a su hogar, al pasar por la casa de Jeff Thatcher vio a una niña desconocida en el jardín. Era una hermosa chica de ojos azules, trenzas rubias y un delantal de puntillas. Tom, encandilado por esta visión y haciendo como que no la miraba, comenzó a hacer demostraciones de sus habilidades para llamar la atención de la muchachita. Ella cruzó el jardín, y antes de subir a la escalinata se detuvo y le echó una flor. Luego desapareció tras la puerta de su casa. Tom, distraídamente, se acercó a la flor y la recogió con los dedos de los pies, no fuera que le viera recogiendo la ofrenda.

Tiempo atrás se había creído locamente enamorado de Amy Lawrence, pero ahora, después de haber visto a esa chica rubia, ya no quedaba recuerdo alguno.

Capítulo IV

T odos los lunes por la mañana Tom se ponía muy triste,
pues empezaba otra semana de lento sufrir en la escuela.

Tom pensaba y pensaba. Se le ocurrió que hubiera deseado estar enfermo, pues en ese caso permanecería en casa en vez de ir a tomar clase. Tornó a reflexionar. De pronto, descubrió algo. Se le movía un diente. Comenzó a quejarse fuertemente. Sid bostezó, se desperezó, luego se incorporó sobre un codo dando un bufido, y empezó a mirar a Tom.

Sid dijo:

—¡Tom! ¡Tom! ¿Qué te sucede? No te estás muriendo, ¿verdad?

—Sid… te perdono por todo lo que me has hecho.

Sid voló escaleras abajo y gritó:

—¡Tía Polly, corra! ¡Tom se está muriendo!

—¡Pamplinas! No lo creo —gritó la anciana.

La tía Polly subió corriendo las escaleras. Se puso pálida también y sus labios temblaban. Cuando llegó a la cabecera de Tom, dijo sin aliento:

—Tom, ¿qué te pasa?

—Tengo un diente flojo que me duele, qué barbaridad.

—¡Vamos, vamos! No chilles otra vez. Abre la boca. Sí se te va a mover, pero no morirás por eso. Mary, tráeme un hilo de seda y un carbón encendido.

—¡Por favor, tía, no me lo saque, que ya no me duele! Sólo quería quedarme en casa y…

—¡Ah! ¿De veras? ¿De modo que toda la comedia es porque pensaste que te quedarías en casa? ¡Tom!… ¡Tom!…

Tanto como te quiero, y en cambio tú parece que ensayas todos los medios para matarme a disgustos con tus pillerías.

Para entonces, ya estaban listos los instrumentos dentales. La anciana sujetó un extremo del cordón de seda al diente de Tom y ató el otro extremo al poste de la cama.

Tomó después un trozo de carbón y repentinamente lo acercó a la cara de Tom hasta casi tocarla. El diente quedó balanceándose en el hilo colgado del poste.

Después del desayuno y camino a la escuela, Tom causó la envidia de todos los chicos, porque el hueco que dejó el diente le permitía escupir de un modo nuevo y admirable.

Poco después se encontró con su amigo Huckleberry Finn, un chico vagabundo, hijo de un borracho perdido. Era muy odiado por las madres del pueblo, que lo consideraban un holgazán, un muchacho malo y vulgar. En realidad les molestaba porque sus hijos eran todos muy amigos de Huck y además le admiraban. Huckleberry iba y venía a su antojo, dormía en los umbrales de las casas cuando el tiempo era bueno y dentro de toneles cuando la lluvia arreciaba.

En una palabra, todo lo apetecible y deleitoso de la vida lo tenía Huck Finn; así era como pensaban todos los chicos acosados, tímidos y decentes de San Petersburgo.

Tom saludó al romántico indeseado:

—¡Hola, Huckleberry!

—¡Hola, tú! Mira a ver si te gusta.

—¿Qué es lo que tienes?

—Un gato muerto.

—¿Y para qué sirven los gatos muertos?

—Pues para curar verrugas.

—Pero, dime: ¿cómo se curan con gatos muertos?

—Bueno, tomas al gato y vas al cementerio y te ubicas al lado de la tumba de alguien que haya sido muy malo. Al llegar la medianoche vendrá un diablo a llevárselo. Cuando se lo esté llevando, le tiras el gato y dices: ¡Diablo, sigue al difunto; gato, sigue al diablo; verruga, sigue al gato, ya acabé contigo! No queda ni una.

—Y dime, Huck: ¿cuándo vas a probar con ese gato?

—Esta noche. Apuesto a que vienen a llevarse a Hoss Williams.

—¿Me dejas ir contigo?

—¡Ya lo creo!

Así quedaron de acuerdo y se despidieron hasta esa noche. Tom, por supuesto, llegó tarde a la escuela y fue regañado por el maestro.

—¡Tom Sawyer! —gritó el señor Dobbins—, ¿por qué llega tarde otra vez?

Tom estuvo a punto de refugiarse en una mentira, cuando vio dos largas trenzas de pelo dorado que reconoció inmediatamente.

—Me entretuve conversando con Huckleberry Finn.

El maestro se quedó paralizado.

—Ésta es la más horrible confesión. Quítate el saco —ordenó.

El brazo del maestro golpeó con una palmeta hasta que se cansó.

—Ahora se sentará usted con las niñas. Y que esto le sirva de aviso.

Pero como no hay mal que por bien no venga, Tom esta vez se vio agraciado con la compañía de la chica rubia que conociera en el jardín de los Thatcher. Se pusieron a charlar y se dijeron sus nombres. La niña se llamaba Becky. Dibujaron una casita en la pizarra de Tom. Al rato el chico escribió algo y, simulando un forcejeo, dejó que ella viera lo escrito. Decía: "Te quiero".

Volvió la cara. Ella se inclinó tímidamente hasta que su aliento agitó los rizos del muchacho, y murmuró: "Te quiero".

Después huyó corriendo, perseguida por Tom, hasta que él la tomó por el cuello y le rogó:

—Ahora, Becky, ya está todo hecho… Ya está todo, menos lo del beso. No tengas miedo de eso…

Tom tiraba de las manos v del delantal de la chica.

Poco a poco ella fue cediendo y bajó sus manos; la carita, toda encendida por la lucha, quedó descubierta y se sometió a la demanda. Tom besó los rojos labios y dijo:

—Ya está todo hecho, Becky. Y ahora, después de esto, no deberás ser novia de nadie sino mía, y no tienes que casarte nunca sino conmigo.

—Sí. Nunca querré a nadie sino a ti, Tom. ¡Es tan bonito!…

—Es muy divertido. ¡Si supieras lo que Amy Lawrence y yo!…

En los grandes ojos de la chica vio Tom la torpeza que había cometido, y se detuvo confuso.

—¡Oh, Tom! ¡Entonces yo no soy tu primera novia!

—No llores, Becky… nadie me importa sino tú.

No hubo más respuesta que los sollozos.

—¡Eres malo, Tom Sawyer! ¡No quiero ser más tu amiga! —gritó la chica al momento que salía corriendo.

Tom se quedó triste y enfurecido consigo mismo. Entonces huyó a las colinas para no regresar al colegio ese día.

Capítulo V

Esa noche, a las nueve y media Tom y Sid fueron enviados a la cama, como siempre. Dijeron sus oraciones y Sid se durmió rápidamente. Tom permanecía despierto y esperaba con inquieta paciencia. Minutos después se oyó, en la quietud de la noche, el maullido lejano y lastimero de un gato. Era la señal de Huck. Tom se vistió en silencio en menos de un minuto. Brincó al cobertizo de la leña y de allí al suelo. Llegaron al cementerio al cabo de media hora; encontraron el lugar que les pareció adecuado y se escondieron tras un grupo de olmos a esperar la medianoche.

—Huck, ¿crees que a los muertos les gustará que estemos aquí?

Huckleberry murmuró:

—¡Ojalá lo supiera! Esto es de una solemnidad imponente, ¿verdad?

Hubo una pausa. De pronto, Tom tomó del brazo a su compañero y dijo:

—¡Mira! ¡Mira allí! ¿Qué es eso?

—Es un fuego fatuo. ¡Ay, Tom! ¡Qué miedo tengo!

Unas figuras vagas se acercaban entre las sombras, balanceando una antigua linterna de hojalata, que esparcía por el suelo innumerables manchas de luz. Huck murmuró estremeciéndose:

—Son los demonios, sin duda. ¡Tom, éste es nuestro fin! ¿Sabes rezar?

—Lo intentaré, pero no tengo miedo. No nos harán daño.

"Acógeme, señor, en tu seno…"

Los cuchicheos cesaron de pronto porque tres hombres habían llegado a la sepultura cercana al lugar donde estaban los muchachos. Eran nada menos que Muff Potter, medio borracho como era su costumbre, Joe el Indio, y el joven doctor Robinson. Él era quien daba las órdenes y los otros obedecían.

—Aquí es —dijo el doctor.

Potter y Joe el Indio llevaban una parihuela, y en ella una cuerda y dos palas. Arrojaron la carga a tierra y empezaron a abrir la sepultura. El doctor colocó la linterna a la cabeza de la tumba.

—¡De prisa! ¡De prisa! —dijo en voz baja—. La luna puede salir en cualquier momento.

Finalmente una de las palas pegó contra el féretro con un ruido sordo. Forzaron el cuerpo y lo echaron de golpe al suelo. El cadáver quedó iluminado por la pálida faz de la luna. Potter sacó una larga navaja de muelles, cortó un trozo de cuerda que colgaba y luego dijo al médico:

—Ahora que todo está listo nos aumentará la paga.

—¿Cómo? ¿Qué es eso? Yo ya les adelanté la paga y no es justo que ahora me exijan aumento —contestó el doctor, que necesitaba el cuerpo para hacer sus estudios. Potter se puso a pelear a puñetazos y se le cayó un cuchillo que tenía en la cintura. En un momento el médico le dio tal golpe que el vagabundo cayó desmayado al suelo. Joe el Indio aprovechó la oportunidad, y tomando el cuchillo del borracho se lo enterró en la espalda al doctor. Los dos chicos que presenciaban la situación escaparon llenos de miedo.

Poco después Joe estaba de pie junto a los dos hombres caídos, contemplándolos, y murmuró:

—La cuenta está saldada, maldito.

Después registró al muerto, robándole cuanto llevaba en los bolsillos. Luego colocó la navaja homicida en la abierta mano de Potter y se sentó sobre el féretro destrozado.

Al despertar Muff Potter, Joe lo convenció sin demasiado trabajo de que en medio de su borrachera había matado al médico.

—Yo creía que se me había pasado la borrachera. No debía haber bebido esta noche —murmuraba Potter—. Dime, Joe… honradamente, compañero, ¿yo lo hice? No quise hacerlo... Palabra de honor que no quise hacerlo, Joe... No dirás nada, ¿verdad?

—No diré nada: siempre te has portado derechamente conmigo, y no haré nada contra ti. Ya está dicho; no se puede pedir más.

Potter arrancó con un trote que al poco rato se convirtió en carrera abierta. El indio lo siguió con la vista, y murmuró:

—Si está tan atolondrado con el golpe y tan atiborrado de ron como parece, no se acordará de la navaja hasta que esté ya tan lejos de aquí, que sentirá miedo de volver a buscarla en un lugar como éste... ¡Gallina!

Unos minutos después, el cuerpo del asesinado, el cadáver envuelto en la manta, el féretro sin tapa y la tumba abierta, sólo tenían como testigo a la luna. Asimismo, la quietud completa.

Tom y Huckleberry corrían y corrían rumbo al pueblo, mudos de terror. De cuando en cuando miraban hacia atrás como temiendo que los persiguieran. Durante la carrera los dos muchachos se juraron no delatar al asesino por miedo a una venganza de Joe. Para esto, una vez que llegaron hicieron un juramento de sangre que consistía en pincharse la yema del pulgar y firmar con el dedo la promesa de no hablar. Se despidieron y Tom trepó a la ventana de su casa. Se sentía tranquilo porque creía que nadie había descubierto su fuga. Lo que no llegó a notar era que Sid, simulando roncar, lo estaba espiando.

Esa mañana la tía Polly lo llevó aparte y entre sollozos le preguntó por qué la hacía sufrir tanto. Le dijo que ella no podía ya detenerlo, y que si él lo quería podía irse cuando quisiera, aunque ella se muriera de pena. Eso para Tom fue peor que cualquier castigo físico, le pidió perdón y prometió enmendarse.

Cuando salió para la escuela estaba triste, y mucho más lo estuvo al llegar y ver a Becky ofendida y enemistada con él.

Capítulo VI

C erca del mediodía, el pueblo entero fue sacudido por la terrible noticia. Se había hallado al médico muerto en el cementerio, y a su lado un cuchillo que se identificaba como perteneciente a Muff Potter. Toda la gente fue al cementerio, y Tom entre ellos. De pronto se estremeció, ya que frente a él estaba Joe, el Indio. En ese momento la gente gritó indignada: el sheriff y sus asistentes arrastraban a Muff Potter y lo acercaban al cuerpo del doctor. Muff Potter se cubrió la cara con las manos y rompió a llorar:

—No he sido yo, vecinos —dijo—, mi palabra de honor que no he hecho tal cosa.

En eso apareció a su vista Joe.

—¡Oh, Joe! Tú me prometiste que nunca… Joe, diles, diles.

Sin embargo, Joe hizo su declaración acusando a Muff Potter, ante los atónitos ojos de Tom y Huck.

El pesado secreto y su conciencia intranquila perturbaron durante una semana el sueño de Tom. Una mañana, durante el desayuno, dijo Sid:

—Das tantas vueltas en la cama y hablas tanto mientras duermes, que me tienes despierto la mitad de la noche.

Tom palideció y bajó los ojos.

—¡Y dices unas cosas! —continuó Sid—. Anoche decías: "Es sangre, es sangre. ¡No me atormente así… ya lo diré!" ¿Dirás qué? ¿Qué es lo que ibas a decir?

—¡Basta! —dijo la tía—. Es ese crimen tan atroz. Yo también sueño con él todas las noches.

Mary dijo que a ella también le pasaba lo mismo. Sid parecía satisfecho. Después de esto, Tom, fingiendo dolor de muelas, se ataba la mandíbula todas las noches, antes de irse a dormir. Lo que no sabía era que Sid desataba el pañuelo y escuchaba a Tom en sus sueños y después lo ataba cuidadosamente, sin que siquiera lo sintiera.

Para aligerar en parte su conciencia, Tom iba hasta la ventana de la cárcel y le entregaba regalos y comida al pobre de Muff Potter. Durante una temporada de tormento para él, Tom se acercaba a hurtadillas y realizaba su obra de caridad para quien él sabía inocente.

Capítulo VII

Un día Tom llegó a la escuela antes de hora. En verdad era un raro acontecimiento que, sin embargo, se repetía hacía unos días. Se quedaba junto a la verja del colegio, mirando la calle, en lugar de jugar con sus compañeros.

Dijo que estaba enfermo y efectivamente lo parecía.

Se alegró al ver llegar a Jeff Thatcher, pero por más que le habló no pudo sacarle ninguna noticia sobre Becky.

Tom observaba atentamente el camino en busca de una faldita conocida, pero pasaron todas revoloteando y ninguna pertenecía a quien él esperaba. Entró al salón y se sentó a sufrir. De pronto, una falda más asomó por la verja y su corazón dio un brinco. Era Becky.

Tom se mostraba alegre, juguetón y ruidoso, pero Becky no le miraba ni daba señas de advertir su presencia. Ella le volvió la espalda, y con la nariz respingada dijo:

—¡Puff! Algunos se tienen por muy graciosos… ¡siempre presumiendo!

Tom sintió que le ardían las mejillas. Se puso en pie y se fue abochornado y abatido. Se sentía abandonado y sin cariño de nadie. Había tratado de ser bueno pero no lo dejaban. Justamente en ese momento se encontró con su amigo Joe Harper, que traía una mirada dura que demostraba una terrible resolución. Era evidente que se juntaban allí "dos almas con un solo pensamiento". Tom, secándose las lágrimas con la manga del saco, comenzó a balbucear que se escaparía de los malos tratos y de la falta de amor de su casa, y desde ese momento erraría por el mundo y no regresaría nunca más. Sucedió que Joe pensaba lo mismo y quería proponerle una resolución parecida. Así es que decidieron ser como hermanos y juraron acompañarse durante el resto de sus días.

Después de deliberar, coincidieron en que era mejor ser piratas.

Como a tres kilómetros del pueblo, en un punto donde el Mississippi era poco profundo, estaba la isla de Jackson, que, boscosa y deshabitada, era un lugar ideal para la aventura. Ya decididos, buscaron a Huck Finn, quien se les acopló con todo gusto, ya que cualquier profesión resultaba igual para él.

Acordaron que a la medianoche se encontrarían para partir hacia la isla. Para ello, se robarían una balsa de troncos que estaba en la orilla del río.

A la hora convenida, llegó Tom con un jamón cocido y otros pocos víveres. Dio un largo y agudo silbido. Otro igual le respondió desde abajo del acantilado. Después se oyó una voz sigilosa:

—¿Quién vive?

—¡Tom Sawyer, el "Terrible Vengador de la América Española"!… ¿Quiénes sois vosotros?

—Huck Finn, el "Manos Rojas"; y Joe Harper, el "Terror de los Mares".

—Bien está. ¿Cuál es la contraseña?

—¡Sangre! —murmuraron dos voces fieras y apagadas.

Entonces Tom se deslizó por el acantilado hasta el camino costero al río. El "Terror de los Mares" había traído una lonja de tocino y estaba exhausto bajo su peso. Finn, el "Manos Rojas", había conseguido una cazuela, buena cantidad de hojas de tabaco a medio curar y algunas mazorcas para hacer pipas de piratas.

Se apoderaron de una pequeña balsa, y en medio del mayor misterio se fueron alejando, dando órdenes de navegación murmuradas, aunque sabían que los dueños de la balsa estaban durmiendo en sus casas y no los escucharían.

Los tres piratas lanzaban sus "últimas miradas" al pueblo, y eran tan largas que estuvieron a punto de dejar que la corriente arrastrase la balsa fuera del rumbo. Cerca de las dos de la mañana llegaron al bajío en un extremo de la isla, y allí desembarcaron. La vieja vela que llevaban en la balsa sirvió para cubrir las provisiones, ya que ellos dormirían al aire libre, como correspondía a unos aventureros.

Hicieron una fogata, comieron y se echaron rebosantes de felicidad sobre la hierba.

—¿No es esto algo precioso? —dijo Joe.

—De maravilla, ésta es la vida que a mí me gusta —dijo Tom—. No hay que levantarse temprano, no hay que ir a la escuela, ni que lavarse, ni todas esas tonterías.

Preguntó Huck mientras hacia una pipa con una mazorca:

—¿Qué es lo que tienen que hacer los piratas?

—Pues, pasarlo bien… apresar barcos, quemarlos, apoderarse del dinero, enterrarlo en alguna isla y matar a todos los que van en los buques.

—Y se llevan las mujeres a la isla —dijo Joe—, pero no las matan.

—No —asintió Tom—, no las matan, son muy caballeros, y las mujeres siempre son, además, muy hermosas.

—Y llevan trajes de lujo, todos de plata, oro y diamantes —agregó Joe.

—¿Quién? —dijo Huck.

—Pues los piratas —aclaró Tom.

Huck miró apesadumbrado sus ropas, concluyó que no estaba vestido apropiadamente, y dijo:

—En verdad no estoy vestido como un pirata, pero —agregó con desconsuelo— no tengo más que esto.

Los otros le consolaron diciendo que los trajes lujosos lloverían a montones en cuanto empezasen sus aventuras.

Y así, entre fantasías, la plática se fue acabando porque los tres amigos ya comenzaban a dormitarse, hasta entregarse al sueño profundo.

Al despertar a la mañana siguiente, Tom se preguntó dónde estaba. Se frotó los ojos y recordó al fin cuál era el lugar. Lo envolvió la sensación fresca de la mañana, la paz de la naturaleza, la calma y el silencio de los bosques. Sus compañeros todavía dormían. Poco a poco todo fue tomando más color con el amanecer y se fueron multiplicando los sonidos de la vida de la isla. Al cabo de un rato todo estaba en movimiento, el sol atravesaba el follaje y algunas mariposas aparecían en la escena. Tom despertó a Joe y Huck. Unos minutos después, entre la alborotada plática, se dedicaban a jugar a la orilla del agua. La marea se había llevado la balsa. Este hecho les alegró, porque significaba el corte del puente que los unía con la civilización. Regresaron frescos por el baño y Joe cortó tajadas de tocino para el desayuno.

Tom y Huck le dijeron que se esperara un poco, y con sus líneas se dispusieron a pescar. Casi inmediatamente obtuvieron lo esperado: dos hermosas percas, un pez gato y otros peces peculiares del Mississippi. Frieron los peces con el tocino y nada les pareció mejor manjar que el desayuno de esa mañana.

Descansaron a la sombra después del desayuno. Luego se dedicaron a internarse en el bosque para explorar la isla.

Tomaron un baño nuevamente y al atardecer regresaron al campamento. Sentían demasiada hambre como para perder tiempo en pescar, así que comieron jamón en abundancia y luego charlaron. Pero la charla empezó a decaer. El silencio, la solemnidad de la naturaleza y la sensación de soledad se fueron apoderando del espíritu los chicos, al momento que comenzaron a sentir una profunda nostalgia del hogar, un secreto deseo de volver a casa.

En eso escucharon un ruido lejano, una especie de trueno. Pero no lo era. Luego se fue identificando mejor: era el estampido del cañón de un barco. Los tres piratas llegaron hasta la playa y allí pudieron observar de lejos que en el río se había montado la búsqueda de algún ahogado.

Los tres muchachos se preguntaron quién sería la víctima, hasta que Tom dijo:

—¡Compañeros! Ya sé quién se ahogó: ¡Nosotros!

Con esta revelación se sintieron muy importantes, casi unos héroes. Al fin se les echaba de menos, se lloraba su ausencia, se sentirían remordimientos por injusticias hechas contra ellos… Pero lo más notorio e importante era que, además, serían el centro de la atención y los comentarios del pueblo. En definitiva, valía la pena ser pirata.

Ya empezaba a oscurecer cuando el vapor y los demás barquitos de búsqueda retornaron al pueblo, y los chicos regresaron al campamento.

Aunque lo ocultaran, Tom y Joe comenzaban a pensar en algunas personas que en sus casas estarían llorando su ausencia y no se estarían divirtiendo con su aventura como ellos. Dejaron escapar algunos suspiros, mientras contemplaban el fuego del campamento. Joe se atrevió a sugerir, tímidamente, la vuelta al hogar, aunque fuera por esa noche al menos. Tom se burló de él y Huck, que no tenía a nadie a quien extrañar, se unió a sus burlas. Joe salvó su orgullo aclarando que su propuesta no era en realidad tan firme.

Huck fue el primero que se durmió, y le siguió Joe. Tom se quedó contemplando a sus amigos, hasta que finalmente se levantó, recogió dos cortezas de árbol, dejó un mensaje en una de ellas y la otra la guardó en su bolsillo. Con todo sigilo corrió a la playa. Al llegar al vado nadó hasta poder subir al vapor. Allí se escondió en uno de los botes.

El buque se puso en marcha y Tom se sintió feliz de haberlo abordado. Al llegar a la orilla, se deslizó en la oscuridad y logró desembarcar. Corrió entre los suburbios del pueblo y pronto estuvo frente a su casa. Miró por la ventana: adentro estaban su tía Polly, la señora Harper, mamá de Joe, Sid y Mary. Tom se acercó y movió suavemente el picaporte. La puerta crujió. En medio del espacio que quedaba, el chico se deslizó como un gato.

—¿Quién sopló la luz? —preguntó la tía—. Sid, la puerta está abierta: ciérrala.

Tom aprovechó para meterse debajo de la cama de su tía.

—Como le contaba —continuó la tía Polly—, no era mal chico, solamente travieso. Jamás se propuso hacer daño, era de muy buen corazón, el mejor que haya existido —dijo sollozando.

—Igual que mi querido Joe —lloriqueaba la señora Harper—. Pensar que le pegué por comerse una crema, sin acordarme que yo misma la había tirado porque estaba agria… ¡Y ahora que pienso que ya no lo volveré a ver nunca más!

—Sí, sí… Ya me hago cargo de su dolor, señora Harper.

Sin ir más lejos, ayer a mediodía le di un dedalazo a mi Tom, por una de sus travesuras. ¡Dios me perdone! Y las últimas palabras que de él oí fueron de reproche.

Aquel recuerdo era superior a sus fuerzas y la pobre tía no pudo contenerse más. Tom, mientras tanto, moqueaba en silencio sintiendo lástima de sí mismo, más que de los otros. Estaba tan enternecido con el dolor de su tía que pensó en salir de su escondite y llenarla de alegría. Pero siguió escuchando y por la charla supo que se les tenía por muertos, ya que la balsa que ellos usaran había encallado en la costa. Como sus cuerpos no aparecían, se les daba por ahogados en el canal. Además, era ya la noche del miércoles, y si los niños no aparecían para el domingo, se abandonaría toda esperanza y sus funerales se celebrarían aquella mañana. Tom sintió un escalofrío.

La señora Harper dio las buenas noches sollozando, y las dos afligidas mujeres se abrazaron en un largo llanto consolador. También Sid gimoteó y Mary, la prima de Tom, se fue llorando a gritos.

La tía Polly se arrodilló y rezó por Tom con una emoción que Tom nunca había escuchado de sus labios. La anciana se metió en la cama, y agitándose y dando suspiros, se quedó dormida. Entonces Tom salió de su escondite y se quedó contemplándola con profunda compasión. Sacó la corteza de árbol que guardaba en su bolsillo, y estuvo a punto de dejar un mensaje junto a la lámpara, pero cambió de parecer. Se inclinó y besó tiernamente a su tía antes de salir.

Llegó al embarcadero, subió a un bote y remó hasta la otra orilla. Se sintió tentado de quedarse con el bote como presa de un pirata, pero sabía que se le buscaría por todas partes y eso podía llevar a que los descubriesen. Así es que brincó a tierra y se internó en el bosque. Cuando llegó al campamento era casi de día y escuchó decir a Joe:

—No, Tom cumple su palabra y volverá, Huck. Sabe que sería un deshonor para un pirata. Yo creo que algo trae entre manos. ¿Qué podrá ser? Además en su mensaje dice claro que regresará antes del desayuno.

—¡Y aquí estoy! —exclamó Tom, con gran dramatismo, acercándose con aire de importancia.

Fue al momento de comer abundante pescado y tocino cuando Tom les contó con detalle los sucesos de su aventura.

Ese día transcurrió divertido, con variados juegos que inventaron los tres, pero en la mañana del viernes Tom advirtió que sus amigos estaban nostálgicos, en especial Joe, que varias veces llenó sus ojos de lágrimas. Huck también se veía melancólico y Tom, aunque sentía lo mismo, hacía esfuerzos por no demostrarlo.

—Vamos, dejemos ya esto. Yo quiero irme a casa. Esto está muy solitario —dijo Joe.

—Pero si aquí podemos hacer de todo, Joe. No te impacientes que pronto te sentirás mejor, podremos pescar…

—Pero no me importa la pesca, ni nadar, quiero irme a mi casa.

—¡Vaya un nene! Quiere ver a su mamá —se burló Tom.

—Claro, por supuesto que quiero ver a mi mamá, y si tú tuvieras la tuya también desearías ir a verla —aseguró Joe.

—Bueno, ya que el nene quiere ir a ver a su mamá, que vaya. Lloroncito —volvió a burlarse Tom y agregó—: Tú y yo nos quedamos, ¿verdad, Huck?

—Sí —contestó dudando el aludido.

Joe se dispuso a irse y Huck aclaró que él también deseaba acompañarlo. Ya caminaban tristemente cuando a Tom se le ocurrió algo para retenerlos:

—¡Esperen! ¡Esperen!, tengo algo para decirles.

Los otros dos así lo hicieron y Tom les propuso un nuevo plan. Esta nueva idea fue recibida con gran alegría: aprenderían a fumar en pipas.

Después del almuerzo, Huck preparó dos pipas y las entregó a los novicios, que hasta ese momento no habían probado más que cigarros de chocolate. Se echaron en la hierba y comenzaron a sorber y resoplar. Aunque fumar era desagradable, Tom dijo:

—¡Oh, qué cosa más fácil! Si hubiera sabido antes que no era más que esto, hubiera aprendido hace tiempo. Muchas veces vi fumar a la gente y pensé: "Ojalá pudiera yo fumar". Pero nunca imaginé que podría.

—Lo mismo pienso yo —dijo Joe.

Se divirtieron en grande imaginando lo que dirían sus amigos si los vieran tan libres y dueños de ellos mismos.

Pero la plática fue decayendo, se agrandó el silencio y empezaron a carraspear. Se sentían bastante mal, con náuseas y estaban pálidos. Joe dijo que había perdido su cuchillo y se alejó. Tom le siguió, argumentando que le ayudaría a buscarlo en otra dirección. Se alejaron entre la vegetación y Huck estuvo esperándolos por espacio de una hora, hasta que decidió ir a buscarlos. Los encontró dormidos. A juzgar por el aspecto de sus compañeros, advirtió que, cualquiera que fuese la causa, ya se habían aliviado de sus malestares.

En la noche se desencadenó una tormenta con vientos y lluvia torrencial que parecía que nunca acabaría. Los tres piratas se protegieron bajo un gran roble a la orilla del río.

    Estaban empapados. Cuando la tormenta terminó, los muchachos encontraron todo anegado. Estaban muy cansados y sólo pudieron dormir en la playa, que era el único lugar seco. A la mañana siguiente los muchachos estaban nuevamente nostálgicos por sus casas.

Capítulo VIII

Nadie se divertía en el pueblito aquella tranquila tarde de sábado. Becky Thatcher vagó por la escuela sin consuelo, recordando los desaires que le hiciera a Tom, culpándose entre sollozos por su tonto orgullo. El asueto de ese día parecía una pesadumbre para todos los chicos. Ninguno hallaba entusiasmo en jugar y en cambio se dedicaban a recordar alguna travesura hecha por Tom o Joe. Entre recuerdo y recuerdo se disputaban el honor de haber sido los amigos, enemigos o contrincantes de los desaparecidos.

Cuando a la mañana siguiente terminó la escuela dominical, las campanas repicaron a duelo. Nadie había visto jamás tanta concurrencia en la iglesia. Hubo una calma expectante, una callada espera, hasta que entró la tía Polly seguida de Sid y Mary; después la familia Harper, todos vestidos de negro. Hubo un silencio emocionante, interrumpido por algún ahogado sollozo. Después el pastor extendió las manos y oró.

Durante la oración el pastor trazó tal pintura de las gracias, cualidades prometedoras y dotes de los tres desaparecidos, que cuantos le oían sintieron grandes remordimientos al recordar cuán ciegos habían sido al ver sólo defectos en las pobres criaturas. Fueron tantas las palabras de ternura que fue diciendo el pastor, que la concurrencia fue acongojándose cada vez más hasta que todos lloraban sin consuelo, desde el púlpito hasta el final del templo, hasta que rechinó la puerta de la iglesia. El pastor levantó los ojos lacrimosos por encima del pañuelo y… ¡se quedó petrificado! Un par de ojos primero y otros después, siguieron a los del pastor y luego en un solo impulso todos se pusieron de pie para contemplar a los tres chicos "muertos" que avanzaban entre las naves.

Tía Polly, Mary y los Harper se arrojaron sobre sus respectivos resucitados, sofocándolos a besos y dando gracias y bendiciones, mientras que el pobre Huck permanecía avergonzado e incómodo, sin saber dónde esconderse de tantas miradas. Tom lo tomó de un brazo y dijo:

—Tía Poli, esto no vale. Alguien tiene que alegrarse de ver a Huck.

—¡Y claro que sí! ¡Mi pobrecito, desamparado, sin madre!
—y entonces la tía volcó sobre el pequeño vagabundo todo su cariño junto con sus besos. Esto hizo que Huck se sintiera aún más avergonzado.

De pronto, el pastor gritó con todas sus fuerzas:

—¡Alabado sea Dios, por quien todo bien nos es concedido! ¡Cantad! ¡Cantad con toda el alma!

Y cantaron. El viejo himno se elevó tonante y triunfal.

Mientras el canto hacía trepidar las vigas, Tom Sawyer, el pirata, miró en torno suyo a las envidiosas caras juveniles que lo rodeaban, y se confesó a sí mismo que aquél era el momento más glorioso de su vida.

El lunes por la mañana, la tía Polly y Mary consintieron a Tom con infinito cariño. La tía mostró al sobrino su enojo por el desamor que le había demostrado al dejarla sola en la angustia.

—Es que yo te quiero mucho, tía —dijo Tom—. Si no vine a avisarte sí, en cambio, soñé contigo.

—Eso no es mucho —dijo la tía—. ¿Qué fue lo que soñaste?

—Pues… el miércoles en la noche soñé que tú, la señora Harper, Sid y Mary estaban sentados junto a tu cama .

La tía lo miró sorprendida y con atención escuchó lo que Tom le contaba. La tía se asombró de tanta coincidencia entre un sueño y la realidad. Llena de alegría, colmó a Tom de regalos y bendiciones. Con semejante revelación de su sobrino, una vez que los chicos se fueron a la escuela, la tía Polly corrió a visitar a la señora Harper.

En la escuela fueron los héroes del día. Para esto, Tom todavía recordaba los desplantes de Becky, así que decidió liberarse de ella.

Cuando la niña llegó, él hizo como que no la veía y se dedicó enteramente a Amy Lawrence. Becky le lanzaba furtivas miradas y Tom aparentaba indiferencia. Ya que su amigo se mantenía desdeñoso, Becky pensó en vengarse. Al terminar la clase, Tom salió al patio y encontró a Becky junto a Alfred Temple —el antipático desconocido con el que se había peleado—. El muchacho sintió profundos celos, aunque no lo demostró, y pasó delante de ellos simulando ignorar su presencia. Cuando Becky advirtió que Tom ya no estaba, despidió enfurecida al desconcertado Alfred. Tom regresó a la casa muy malhumorado, y para empeorarlo todo, su tía lo recibió de esta forma:

—¡Tom! Pero si es para despellejarte vivo.

—Pues ¿qué he hecho, tía?

—Es que me has dejado en ridículo. Me voy, ¡pobre de mí!, a casa de la señora Harper para contarle tu patraña de sueño, y allí me encuentro con que ella ya sabía que tú habías estado aquí esa noche, porque Joe se lo contó, y que habías escuchado toda nuestra conversación.

—Tiíta, no fue maldad; lo hice sin intención, te lo juro. No vine a burlarme aquella noche. Vine a decirte que no te preocuparas porque no estábamos ahogados.

—Por favor, Tom, no mientas.

—Es que cuando oí sobre los funerales fue más grande el deseo de regresar y aparecernos en la iglesia. Es por eso que me volví y no dejé la corteza de árbol con un mensaje para ti que guardaba en mi bolsillo. ¡Ojalá hubieras despertado cuando te besé!

—Tom, ¿es verdad que me besaste? ¿Por qué?

—Pues porque te quiero mucho. Te vi llorando y lo sentía mucho.

—Tom, bésame de nuevo y vete a la escuela, y no me fastidies más.

Cuando Tom salió, la tía se acercó al saco de su sobrino.

Dudó en meter la mano en el bolsillo, se dijo a sí misma que no lo miraría, pero al final fue más grande su necesidad de confirmar la verdad: allí estaba la corteza con el mensaje.

Con los ojos llenos de lágrimas, murmuró:

—¡Le perdonaría ahora todo, aunque hubiera cometido un millón de pecados!

Capítulo IX

En camino a la escuela, Tom se cruzó con Becky. El chico estaba muy alegre, corrió hacia ella y le dijo:

—Me he portado muy mal contigo esta mañana, Becky. Nunca más lo volveré a hacer mientras viva;

—Le agradeceré a usted que se quite de mi presencia, señor Thomas Sawyer. Ya nunca volveré a hablarle —contestó desdeñosa la niña.

Levantó la cabeza y siguió su camino. Tom, mientras tanto, se quedó rojo de cólera.

El muchacho no sabía que Becky tenía una venganza reservada para él. Ella había visto a Alfred Temple volcando tinta sobre un libro que Tom dejara sobre su banca. Esta falta de limpieza en sus útiles sería severamente castigada por el señor Dobbins. Aunque Becky sabía la verdad permanecería callada, sin denunciar al verdadero culpable.

El señor Dobbins era el maestro, un hombre maduro que siempre había soñado ser médico y que frecuentemente leía un libro de estudio que guardaba celosamente, bajo llaves, en su escritorio. Esto llamaba poderosamente la atención de sus alumnos.

Ese mismo día, Becky pasó por delante del mueble y vio que la llave estaba puesta. Su tentación fue tan fuerte que abrió el cajón y tomó el libro: *Tratado de anatomía*. Empezó a hojearlo y se detuvo a mirar una figura humana desnuda.

En ese momento pasó Tom. Becky se asustó y, al cerrar el libro con rapidez, se desgarró la hoja. Tom no comprendía por qué Becky se puso a llorar, sobre todo porque no llegó a divisar la imagen que la niña estaba observando.

Ella dijo:

—Tom Sawyer, debieras avergonzarte. Ya sé que me vas a denunciar y me castigarán por tu culpa.

Tom pensó que las niñas eran unos seres raros. El no llegaba a comprender la situación. Además, si bien nunca la acusaría, también sabía que el señor Dobbins preguntaría uno por uno hasta que el culpable no pudiera ocultarlo y caería en su castigo. La pobre Becky se delataría sola, con la expresión de su carita asustada.

Entraron a clase y Tom no quitaba los ojos de la muchachita. A pesar de su actitud, él sentía mucha lástima y no podía evitarlo:

El señor Dobbins descubrió la mancha sobre el libro de Tom, y como era de esperar le impuso un severo castigo.

Becky, que presenciaba la escena, no logró sentirse contenta, ni apenas saborear una dulce venganza, y estuvo a punto de decir la verdad sobre Alfred Temple. Pero se contuvo, porque esperaba que Tom la denunciara.

Transcurrió toda una hora. El maestro daba cabezadas en su trono; el rumor monótono del estudio incitaba el sueño. Después de unos momentos, el señor Dobbins se irguió, abrió el pupitre y alargó la mano hacia su libro de anatomía. Cuando el maestro descubrió la página rasgada, mostró una expresión tan seria y disgustada que hubiera hecho temblar al más valiente. Después habló:

—¿Quién rompió este libro?

Profundo silencio. Se hubiera podido oír el vuelo de una mosca. El silencio continuaba; el maestro escudriñaba un rostro tras otro buscando entre ellos señales de culpabilidad.

—Benjamin Rogers, ¿rompió usted este libro?

Negativa. Otra pausa.

—Joseph Harper, ¿usted rompió el libro?

Otra negativa.

—¿Amy Lawrence?

Un sacudimiento de cabeza.

—Susan Harper, ¿fue usted?

Negativa rotunda. La siguiente era Becky Thatcher. Tom se estremecía de pies a cabeza por la excitación y lo irremediable de la situación.

—Rebeca Thatcher… ¿Has sido tú? ¡Mírame a la cara!

La niña levantó suplicante los ojos.

Una idea relampagueó en el cerebro de Tom. Se puso en pie y gritó:

—¡He sido yo!

Toda la clase se quedó mirándolo atónita. Tom permaneció inmóvil para reunir fuerzas y luego avanzó hacia el castigo. La sorpresa, la gratitud y la adoración en los ojos de Becky le parecieron paga suficiente para cien palizas.

Tom aquella noche se fue a dormir madurando planes de venganza contra Alfred Temple, pues Becky, avergonzada, le había confiado todo, sin olvidar su propia traición. Tom se durmió al fin con las últimas palabras de Becky sonándole confusamente en el oído: "Tom, ¿cómo puedes ser tan noble?"

Capítulo X

Ya las clases habían terminado y llegaban las vacaciones. El pueblo se ponía algo monótono. Hubo algunos festejos, en especial el del 4 de julio: llego un circo y hubo algunas fiestas en casa de amigos. Becky se fue con su familia a Constantinopla.

En fin, todo estaba un tanto aburrido. Luego Tom cayó enfermo de sarampión, lo que lo obligó a permanecer encerrado durante dos largas semanas, aislado de lo que sucedía en el mundo.

Al fin, el pueblo se sacudió su somnoliento letargo: se iba a realizar el proceso por asesinato contra Muff Potter.

Tom no podía mantenerse separado del asunto. Toda alusión al crimen le producía un escalofrío por todo el cuerpo, y se sentía observado como si sospecharan que él sabía la verdad. Vivía en un temor constante. Así es que llamó a Huck para conversar en un lugar apartado.

—Huck, ¿has hablado con alguien de aquello?

—¿De qué?

—Ya sabes de qué.

—¡Ah!, naturalmente que no. Ni una palabra. ¿Por qué me lo preguntas?

—Porque tenía miedo.

—Vamos, Tom Sawyer, no estaríamos dos días vivos si eso se descubriera. Bien lo sabes.

Tom se sintió más tranquilo.

—Entonces está bien. Me parece que estamos a salvo mientras no abramos el pico. Pero vamos a jurar otra vez. Es más seguro —dijo Tom.

Y juraron de nuevo, con gran solemnidad y aparato.

Los dos tuvieron una larga conversación, pero de poco provecho. Al atardecer se encontraron dando vueltas en la vecindad de la solitaria cárcel, acaso con la esperanza de que ocurriera algo que resolviera sus temores. Como no había ni ángeles ni hadas que se interesaran por el asunto y lo resolvieran, los chicos se limitaron a ayudar a Potter llevándole un poco de tabaco y cerillos. Los dos muchachos se sentían cada vez más cobardes y traicioneros ante la gratitud del inocente Potter.

Las noticias sobre el juicio eran cada vez más graves. Todo el pueblo comentaba que el testimonio de Joe el Indio era tan firme que cualquiera podía suponer el veredicto.

Tom se retiró muy tarde aquella noche y entró a acostarse por la ventana. Tenía una terrible excitación y no podía dormirse.

Llegó el día y todo el mundo se congregó en el juzgado.

Comparecieron varios testigos, los cuales afirmaron haber visto a Potter lavándose en el arroyo a unas horas del crimen; otro probó el hallazgo de su cuchillo junto al cuerpo del médico, y que se le había visto varias veces con él en las manos. De todos los testigos que se presentaron, ninguno fue interrogado por el defensor. ¿Acaso se proponía el abogado tirar por la ventana la vida de su cliente, sin hacer esfuerzo alguno para salvarle?

Cuando se dieron por terminadas las indagaciones, que parecían establecer la culpabilidad de Potter, se levantó el defensor y dijo:

—Su señoría, era mi intención demostrar que mi cliente actuó bajo el influjo del alcohol y que realizó tal acto en forma inconsciente, pero hora he cambiado de opinión —y añadió—: ¡Que se llame a comparecer a Thomas Sawyer!

Toda la gente mostró en su cara el asombro, incluso Potter.

Tom parecía fuera de sí, pues estaba terriblemente asustado.

—Thomas Sawyer, ¿dónde estaba el 17 de junio, alrededor de la medianoche?

—En el cementerio —contestó Tom.

—¿Estaba en algún sitio próximo a la sepultura de Williams?

—Sí, señor —musitó en un hilo de voz Tom.

—¿Estaba alguien contigo?

—Sí, señor. Fui allí con...

—Espera… espera un momento. En el instante oportuno comparecerá tu acompañante. ¿Llevaban al cementerio alguna cosa?

—Nada más que… un gato muerto.

Se oyeron contenidas risas, a las que el juez se apresuró a poner término.

Tom comenzó a narrar, vacilante al principio, pero, a medida que se adentraba en el tema, las palabras fluían con más y más soltura; en un momento no se escuchó ya en la sala sino su voz; todos los ojos estaban fijos en él; con las bocas abiertas y la respiración contenida, el auditorio estaba pendiente de sus palabras, sin darse cuenta del transcurso del tiempo, arrebatado por la trágica fascinación del relato. Y la tensión de las emociones reprimidas llegó a su clímax cuando el muchacho dijo: "Y cuando el doctor lo golpeó con el tablón y Muff Potter cayó al suelo, el indio Joe saltó con la navaja y…"

¡Zaz! Veloz como una centella, Joe se lanzó hacia la ventana, se abrió paso por entre la gente que trataba de detenerlo y desapareció.

Los días que siguieron a esta declaración fueron de dicha para Tom, una vez más se había convertido en un radiante héroe, pero las noches eran intervalos de horror. El indio Joe turbaba todos sus sueños, y siempre con algo tan fatídico como su mirada.

Los días se fueron deslizando y cada uno iba dejando atrás el peso de esas preocupaciones.

Capítulo XI

❧

En la vida de todo muchacho llega un momento en que siente un deseo de ir a cualquier parte a excavar en busca de un tesoro.

Un día, de repente, a Tom le entró ese deseo.

Buscó a Ben Rogers y no lo encontró; también a Joe Harper y tampoco lo halló. Se encontró con Huck Finn, el "Manos Rojas", y pensó que seguramente Huck serviría para este caso; además, siempre estaba listo para una empresa de tal importancia.

—¿Dónde debemos excavar? —preguntó Huck.

—¡Bah!, en cualquier parte.

—¿Qué? ¿Hay tesoros en todas partes?

—No, no los hay. Están escondidos en sitios raros, pero la mayor parte en el sótano de casas encantadas.

—¿Y quién los esconde?

—Pues los bandidos, por supuesto.

—Muy bien, pero ¿dónde empezaremos a cavar?

—Pues no lo sé —contestó Tom—. Mejor intentamos primero con aquel árbol viejo que hay en la cuesta, al otro lado del arroyo de la destilería.

—Conforme —afirmó Huck.

Así, pues, se agenciaron un pico y una pala y emprendieron una caminata de tres millas.

—Dime, Huck, si encontramos un tesoro aquí, ¿qué vas a hacer con lo que te toque?

—Pues, comer pasteles y beberme un vaso de soda todos los días. Además iría a todos los circos que pasen por el pueblo.

—Yo me voy a comprar un tambor —dijo Tom—. Y también una espada de verdad, una corbata colorada, y me voy a casar.

Esto último no gustó a Huck, que estaba en contra del matrimonio, pero Tom no le reveló el nombre de su prometida.

Cavaron como una hora seguida, y nada; cambiaron de lugar, y por más que trabajaron no obtuvieron resultado.

—¡Qué idiotas somos! —aseguró Tom—. Hay que saber dónde cae la sombra de la rama de medianoche y allí es donde hay que cavar.

Así es que convinieron regresar a esa hora, no antes de guardar escondidas las herramientas entre las matas.

Regresaron a la noche pero no encontraron nada. Entonces decidieron que ése no era el lugar adecuado.

En cambio había otro que les pareció formidable: la casa deshabitada, la casa encantada.

Bajaron la colina hacia el pueblo. En medio del valle, iluminada por la luz de la luna, estaba la vieja y derruida casa.

Regresaron al día siguiente durante la siesta. Fue en esos momentos cuando Huck recapacitó que era viernes y que no resultarían los esfuerzos hechos en un día tan malo como ése.

El sábado reanudaron sus labores de búsqueda y decidieron visitar la casa por dentro. Entraron con el pulso agitado, hablando en susurros. Revisaron la planta baja, con más confianza a medida que la recorrían. Después quisieron subir y saber qué podría haber arriba, y dejaron las herramientas antes de ascender. Allí no hallaron nada de importancia, ya que

Ésa es Huck, la casa encantada.

todo estaba tan abandonado y deshecho como abajo. Estaban por descender, cuando…

—¡Chist! —dijo Tom.

—¿Qué? ¡Ay, Dios! ¡Corramos!

—Estate quieto, Huck. No te muevas. Vienen derecho hacia la puerta.

Los chicos se tendieron en el suelo, con los ojos pegados a las rendijas de las tablas, y esperaron con algo de espanto.

Dos hombres entraron. Los dos muchachos reconocieron al viejo español sordomudo y a otro hombre que nunca habían visto antes.

—No —dijo el desconocido—. Lo he pensado bien y no me gusta. Es peligroso…

—¡Peligroso! —habló el "sordomudo", con gran sorpresa para los muchachos—. ¡Gallina!

¡Era Joe el Indio!

—Es que no hay otro sitio más incómodo —recapacitó el otro—. Pero no había otro lugar tan a mano después de aquel golpe idiota. Yo quiero irme de esta conejera. Quise hacerlo ayer, pero de nada servía tratar de asomar fuera la nariz con aquellos condenados chicos jugando allí en lo alto.

Los "condenados chicos" se estremecieron de nuevo al oír esto, y pensaron que habían tenido suerte al abandonar el trabajo el día viernes.

Los dos hombres comieron algo y luego se durmieron, pero antes hablaron sobre un golpe peligroso que planeaban realizar.

Tom y Huck no se atrevían a bajar por miedo a despertarlos, y esperaron a que anocheciera. Fue para este momento que los ronquidos de los dos hombres cesaron y el indio Joe se despertó.

—Ya es tiempo de ponerse en marcha, compadre. ¿Qué vamos a hacer con el poco dinero que nos queda?

—Mejor lo enterramos –dijo el desconocido.

Se disponían a hacerlo cuando el cuchillo de Joe tropezó con algo:

—¡Ahh! Una tabla medio podrida. No, es una caja.

Entonces metió la mano dentro del agujero hecho en la caja y sorprendentemente encontró: ¡monedas de oro! El compinche de Joe dijo:

—Pronto lo sacaremos de allí, con este pico herrumbrado que estaba entre las malezas.

Corrió y volvió con la pala y el pico de Huck y Tom.

—Hay miles de dólares aquí —dijo Joe.

—Ahora no tendrás que hacer el otro golpe.

—Tú no me conoces —dijo Joe—. No se trata sólo de un robo sino de una venganza. Es mejor que nos llevemos este tesoro. Además, ¿quién habrá traído este pico y pala?

Mejor lo ocultaremos en mi refugio del número dos, debajo de la cruz.

—A propósito —agregó Joe—, quien haya traído esas herramientas bien pudiera ser que estuviera arriba.

Y se dispuso a subir, mientras que los chicos sentían que se les cortaba la respiración.

Pero los escalones de madera crujieron y se cayó, haciendo gran estrépito. Joe reflexionó que si alguien estaba allí, se las tendría que arreglar para poder bajar: Así es que los dos bandidos se fueron.

Los chicos resolvieron vigilar al "español" cuando apareciera por el pueblo y conseguir la información sobre el misterioso "número dos".

Tom soñó esa noche con tesoros, y cuando despertó sintió que lo sucedido el día anterior no era más que la impresión de un sueño.

Cuando se encontró con Huck, pudo comprobar que el sueño había sido realidad y que tanto su amigo como él estaban interesados en saber dónde estaba el escondite.

Estuvieron discutiendo sobre las posibilidades de ubicar el misterioso lugar, hasta que Tom dijo:

—¡Ya está! Es el número de un cuarto en una posada.

Así es que se dedicaron a visitar los dos alojamientos que había en el pueblo. Dieron con el hijo del posadera, que les explicó que el número dos era una habitación cerrada a falso que nunca veía entrar ni salir a nadie, y que debía estar embrujada, porque la noche anterior había visto luz adentro. Los dos amigos se convencieron de que ese numero dos era el objetivo buscado.

Tom meditó un rato y después dijo:

—Mira, Huck, la puerta trasera de ese número dos es la que da al callejón sin salida. Tomaremos todas las llaves de puerta a que podamos echar mano, y las probaremos una noche que esté oscura. Yo tomaré todas las de mi tía.

¡Es Joe el Indio!

El martes y el miércoles no pudieron intentarlo, pero el jueves la noche se presentaba más propicia. Con una linterna y caminando sigilosamente los dos se fueron acercando a la posada. Huck quedó de centinela mientras Tom entró a tientas en el callejón. Pasaron unos minutos que a Huck le parecieron horas. De pronto hubo un destello de luz y Tom pasó ante él como un rayo:

—¡Corre! —le dijo—. ¡Sálvate! ¡Corre!

Huck no necesitó que se lo repitieran para hacer lo mismo que Tom y al instante estuvo a su lado huyendo sin detenerse. Cuando pudieron sentirse a salvo, Tom explicó:

—Huck, ha sido espantoso. Probé dos llaves con toda la suavidad que pude, pero hacían mucho ruido y casi no giraban en la cerradura. Y sin saber lo que hacía, agarré el tirador de la puerta y… ¡se abrió! Entré y… ¡casi piso la mano del indio Joe! Estaba dormido como un leño, tirado en el suelo, con el parche en el ojo y los brazos abiertos.

—¿Viste la caja?

—No me paré a mirar. No vi la caja ni la cruz. Nada más vi una botella y un vaso de estaño en el suelo, al lado de Joe.

A los dos chicos les dio mucho miedo intentar entrar, aun cuando Joe estuviera borracho. Les pareció mejor montar guardia y esperar la noche en que no estuviera en el "número dos".

Así es que Huck quedó encargado de cubrir las observaciones nocturnas, ya que de día podía dormir en el pajar de Ben Rogers. Convinieron en avisarse aunque fuera de noche. Huck maullaría en la ventana de Tom para indicarle el momento adecuado.

Capítulo XII

❧

Tom despertó el viernes con una buena noticia: la familia Thatcher había regresado de su viaje. Ese día terminó con la invitación de Becky para un día de campo, y su mamá le había concedido permiso para ir. Estaba muy entusiasmado, así que no pudo conciliar el sueño lo suficiente.

Tampoco esa noche hubo alguna señal del maullido de Huck.

Al llegar la mañana los chicos se concentraron en la casa de los Thatcher. Como era costumbre que las personas mayores no estropearan las fiestas con su presencia, los niños fueron acompañados por chicas de dieciocho años y jóvenes caballeros de veintitrés. La vieja barcaza de vapor serviría para cruzar el río y había sido alquilada para la fiesta.

—Como es posible que vuelvan un poco tarde, será mejor que te quedes a pasar la noche con alguna de las niñas que viven cerca del embarcadero —fue la única recomendación de la señora Thatcher a su hija.

—Entonces me quedaré con Susy Harper, mamá.

Poco después, ya en marcha, Tom le dijo a Becky:

—Voy a decirte lo que hemos de hacer. En vez de ir a lo de Harper, subamos la colina y vayamos a casa de la viuda Douglas. Tendrá helados. Los toma casi todas las noches… Carretadas de helados… Y se alegrará de vernos.

—Será muy divertido, pero… ¿qué dirá mamá?

—Tu mamá no lo sabrá, y así ¿dónde está el mal? Lo que ella quiere es que estés en un lugar seguro, y apuesto a que te hubiera dicho que fueras allí si se le hubiera ocurrido.

—Creo que está bien.

Decidieron, pues, no decir nada a nadie en cuanto al programa nocturno.

A tres kilómetros del pueblo se detuvo el vapor y los niños bajaron a acampar. Allí comieron y jugaron hasta que a alguien se le ocurrió visitar la caverna. La boca de ésta se hallaba en lo alto de la colina. A la entrada había una cámara helada por la que corría agua, y resultaba hermoso observar el verde resplandeciente del valle desde la oscuridad de la caverna.

Todos jugaron al escondite y caminaron en procesión por el camino principal, del que salían otros más estrechos que

formaban un laberinto tal, que se podría caminar durante días y días sin hallar el fin.

Poco a poco, grupo tras grupo fue llegando a la boca de la cueva, jadeantes, cansados de reír, manchados de barro de la cabeza a los pies, y muy contentos de lo que se habían divertido. Cuando el vapor, con su jovial y ruidoso cargamento, avanzó en la corriente, a nadie le importó nada el tiempo perdido. Huck lo vio pasar desde su puesto de guardia. Esa noche se presentaba oscura. A las diez casi no había nadie en las calles. A las once apagaron las luces de la taberna, y en medio de la oscuridad del callejón aparecieron los dos hombres que pasaron junto a él. Uno de ellos llevaba la caja bajo el brazo. Huck no tenía tiempo de avisar a Tom, y para no perder la pista decidió seguirlos.

Los dos hombres caminaron a la orilla del río y luego tomaron el sendero de la colina. Se metieron entre arbustos y esto le convino a Huck, que se escondía cuando le parecía necesario. Al fin llegaron cerca de la casa de la viuda de Douglas:

Entonces escuchó la voz del indio Joe:

—¡Maldita mujer! Quizá tenga visitas… Hay luz adentro.

Un escalofrío recorrió la espalda de Huck. En un instante comprendió de qué se trataba el trabajo de venganza que escuchara de boca del indio.

—Esperaremos a que la gente se vaya —dijo éste a su compinche.

Huck, conteniendo la respiración, se fue alejando, retrocediendo con sumo cuidado. Ya lejos, se puso a correr colina abajo hasta llegar a casa del galés.

Aporreó la puerta, y pronto las cabezas del viejo y sus hijos aparecieron por las diferentes ventanas.

—¿Qué escándalo es ése? ¿Quién llama?

—¡Ábranme, pronto! Ya lo diré todo.

—¿Quién es usted?

—Huckleberry Finn.

—Ése no es nombre que haga abrir muchas puertas, me parece… pero veamos qué es lo que le pasa.

Así es que Huck pudo entrar, y mientras el galés y sus hijos se vestían, se sentó, tomó aire y les contó lo que había visto y oído. Tres minutos después, el viejo y sus dos hijos, bien armados, estaban en lo alto de la colina y penetraban en el sendero de matorrales con las armas preparadas. Huck los acompañó hasta allí, se agazapó tras un peñasco y se puso a escuchar. De pronto se oyó una detonación de arma de fuego y un grito. Huck no esperó a saber detalles. Dio un salto y echó a correr colina abajo como una liebre.

El domingo a la madrugada, Huck subió a tientas por el monte y llamó a la puerta del galés. Aunque estaban durmiendo aún, se levantaron a recibir con cordialidad al muchacho, que estaba muy asustado por lo sucedido la noche anterior. Se enteró de que los dos pillos habían escapado, así es que los describió para que la policía pudiera hallarlos.

El viejo le dijo:

—Pobre muchacho, estás cansado y desconcertado. Pero ya te repondrás con un buen descanso.

Huck, mientras tanto, pensaba que el tesoro debía estar todavía en el "número dos". Los hombres serían encarcelados y él y su amigo Tom podrían apoderarse del dinero esa noche sin ningún temor.

Capítulo XIII

❧

Ese domingo la iglesia se vio concurrida desde temprano, todos comentaban el suceso de la casa de la viuda. Cuando terminó el sermón, la señora Thatcher se acercó a saludar a la señora Harper y le dijo:

—Pero ¿es que mi Becky se va a pasar durmiendo todo el día? Ya me figuraba que estaría muerta de cansancio.

—¿Su Becky?

—Sí —contestó el juez alarmado—. ¿No ha pasado la noche en su casa?

—No, señor juez.

La esposa del juez palideció y se dejó caer sobre un banco, en el momento que pasaba tía Polly hablando apresuradamente con una amiga.

—Buenos días, señora —dijo—. Uno de mis chicos no aparece.

Me figuro que se quedaría a dormir en casa de una de ustedes, y que luego habrá tenido temor de presentarse en la iglesia. Ya le ajustaré las cuentas.

—No ha estado con nosotros —dijo la señora Harper.

Tía Polly preguntó llena de temor a Joe Harper. El niño le contestó que no estaba seguro de haber visto a Tom.

Todos decían que no habían notado si los dos niños estaban a bordo del vapor en el viaje de vuelta; la noche era oscura y nadie pensó en averiguar si faltaba alguno. Un muchacho

dejó escapar su temor de que estuvieran aún en la cueva. La madre de Becky se desmayó, y la tía Polly rompió a llorar.

El pueblo entero se alarmó. Se ensillaron caballos, se consiguieron botes, la barca de vapor fue requisada y antes de media hora doscientos hombres se apresuraban por la carretera o río abajo hacia la caverna.

Muchas vecinas visitaron a tía Polly y lloraron con ella y la señora Thatcher, consolándolas con sus más elocuentes palabras.

La mamá de Becky y tía Polly estaban trastornadas.

El viejo galés volvió a su casa al amanecer, cubierto de barro y de goterones del sebo de las velas, sin poder tenerse de cansancio.

Encontró a Huck, todavía en cama, delirando de fiebre.

Como todos los médicos del pueblo habían acudido a buscar a los dos niños, la viuda de Douglas debió atender al paciente.

—No sé si es bueno, mediano o malo —dijo—, pero es hijo de Dios y nada que sea cosa de Él puede dejarse abandonada.

El galés le contestó:

—Esté usted segura de ello. Ésa es la marca del Señor y no olvida colocarla nunca. La pone en alguna parte en cualquier criatura que sale de sus manos (el galés no podía confesar a la viuda que Huck le había salvado de los malhechores, pues el muchacho le había rogado no contar a nadie ese secreto).

Tres días y tres noches pasaron lentos, abrumadores, y el pueblo fue cayendo en un sopor sin esperanza. Nadie tenía ánimos para nada.

Por entonces se descubrió casualmente que el propietario de la Posada de Templanza escondía licores en el establecimiento, pero casi no interesó a la gente, a pesar de la tremenda importancia del acontecimiento.

En un momento de lucidez, Huck, con voz débil, llevó la conversación sobre las posadas, y le dijeron que se había realizado un hallazgo sorprendente en la Posada de Templanza.

—¿Qué han descubierto? —preguntó con los ojos fuera de órbita.

—¡Bebidas! —contestó la viuda—, y la han cerrado. Pero, querido, acuéstate, ¡qué susto me has dado!

—No me diga más que una cosa, por favor… ¿fue Tom Sawyer el que las encontró?

La viuda se echó a llorar.

—¡Calla! ¡Calla! Ya te he dicho que debes descansar porque estás muy enfermo…

Huck pensó que si habían encontrado las bebidas también habrían hallado el tesoro… y el tesoro estaba perdido para ellos.

Pero ¿por qué la viuda lloraba?

Capítulo XIV

Pero veamos qué sucedió con Becky y Tom. Los dos, junto con otros, anduvieron recorriendo los subterráneos de la caverna, visitando maravillas bautizadas con el nombre de "El salón", "La catedral", "El Palacio de Aladino", y otras por el estilo.

Escribieron sus nombres en una roca y siguieron caminando.

Poco después llegaron a un lugar con una corriente de agua, que caía desde una laja. Tom deslizó su cuerpo por detrás de la cascada para que Becky pudiera verla iluminada. A Tom le pareció ver como una escalera natural entre dos muros, y le propuso a Becky ir a conocer el lugar; ella aceptó muy entusiasmada. Hicieron una marca con el humo para que les sirviera de señal para el regreso, y siguieron avanzando. Fueron torciendo a derecha e izquierda y luego se internaron por una ruta lateral en busca de novedades que pudieran contar a sus amigos. En su camino descubrieron una gruta de cuyo techo pendían multitud de brillantes estalactitas de gran tamaño. Tom encontró poco después un lago subterráneo, que extendía su superficie hasta desvanecerse en la oscuridad. Los chicos se sentaron a sus orillas. Fue allí donde se dieron cuenta de que hacía mucho tiempo que no escuchaban a los otros chicos y chicas que los habían acompañado.

Becky dijo:

—¿Cuánto tiempo habremos estado aquí, Tom? Más vale que volvamos.

—Sí, será lo mejor —respondió Tom.

—¿Sabrás el camino? Porque para mí esto es un laberinto terrible.

—Creo que daré con él; el problema son los murciélagos, que nos pueden apagar las velas. Vamos mejor por otro lado.

—Bueno, pero espero que no nos perdamos. ¡Qué miedo!

Así estuvieron tratando de encontrar el camino. A los pocos momentos, Becky se dio cuenta de que Tom no podía hallar con la forma de volver.

—¡Tom, no dejaste ninguna señal!

—¡Oh, Becky, que tonto he sido! No pensé que necesitáramos regresar al mismo sitio, y ahora no doy con ningún sendero de regreso.

—Tom, ¡estamos perdidos! ¡Esto es un horror!

La niña se dejó caer al suelo y se puso a llorar. Tom la consoló y reanudaron la marcha sin rumbo alguno, al azar.

Poco después, Tom tomó la vela de Becky y la apagó, porque había que economizar.

Después, el cansancio comenzó a hacerse sentir. Las piernas de Becky estaban rendidas. Se sentó en el suelo.

Tom se sentó a su lado y hablaron del pueblo, de los amigos, de las cómodas camas y, sobre todo, ¡de la luz! Becky, desconsolada, se puso a llorar nuevamente y luego se quedó dormida por el cansancio y la tristeza.

El tiempo pasaba y los dos chicos no encontraban la salida. El hambre y la desesperación iban en aumento. Tom dijo que quizá fuese ya domingo y que, como habrían notado su falta, seguramente los estarían buscando. Las horas siguieron pasando y el hambre comenzó a atormentar a los cautivos.

En un momento Tom dijo:

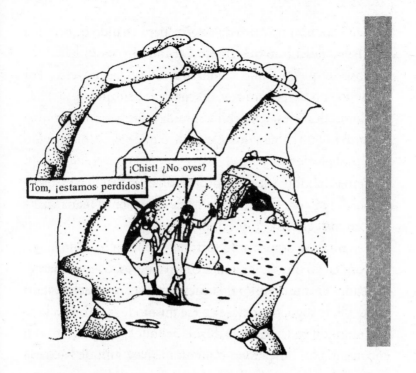

—¡Chist! ¿No oyes?

Contuvieron su aliento y escucharon. Se oyó como un grito remotísimo y débil.

—¡Son ellos! —exclamó Tom—. ¡Ya vienen! ¡Corre, Becky! ¡Estamos salvados!

La alegría enloquecía a los perdidos. Tom gritó hasta ponerse ronco, pero fue inútil. Pasó un momento de esperanza y nada volvió a oírse. Palpando las tinieblas, regresaron hacia el manantial.

Tom pensaba que para entonces debía ser martes. Le vino una idea: explorar unas galerías que estaban cerca. Sacó de su bolsillo una cuerda de cometa, la ató a una saliente de la roca y ambos avanzaron soltándola conforme iban avanzando. De pronto, Tom vio aparecer una mano con una vela a través de un peñasco. El niño gritó de alegría, pero cuando quiso ver a la persona descubrió que era ¡Joe, el Indio!

Tom se quedó como paralizado, no podía moverse. Por suerte Joe no lo reconoció y, desconfiado, escapó.

Como Becky estaba débil y sumida en la desesperanza, no le contó lo que había visto y le explicó que sólo había gritado para probar suerte.

Pero el hambre y la desventura acaban a la larga por sobreponerse al miedo. Otra interminable espera en el manantial y otro largo sueño trajeron cambios consigo.

Los niños se despertaron torturados por un hambre rabiosa. Tom creyó que ya sería miércoles o jueves, o acaso viernes o sábado. Propuso explorar la cueva, pero como Becky estaba tan débil, le rogó lo esperase en ese mismo lugar. Tom la besó con un nudo en la garganta, hízole ver que tenía confianza en encontrar a los buscadores o un escape para salir de la cueva. Empezó a andar gateando, en busca de una salida.

Capítulo XV

Había llegado la noche del martes y el pueblo de San Petersburgo estaba fúnebre, triste: los dos chicos perdidos no habían sido hallados.

La mayor parte de los exploradores habían abandonado la búsqueda y aseguraban con pesar que los niños no aparecerían.

Todo el pueblo se fue a dormir, triste y desalentado. Más tarde, a medianoche, un repiqueteo alegre de las campanas de la iglesia despertó a todos, y en un momento las calles se llenaron de gente alborotada gritando: "¡Arriba! ¡Han aparecido los chicos! ¡Los han encontrado!"

Sonaban sartenes, cornetas, en un estrépito alegre, emocionado. Todo el pueblo estaba iluminado; nadie pensó en volver a la cama.

El juez Thatcher abrazó y besó a los recién encontrados, estrechó la mano de todos y las lágrimas corrían por sus mejillas. La tía Polly no podía contener su regocijo, lo mismo que la madre de Becky.

Tom, tendido en un sofá, contaba cómo logró encontrar la salida, y cómo, cuando estaba a punto de volverse atrás, divisó un puntito lejano que le parecía la luz del día; cómo se deslizó hasta el agujero y pudo sacar la cabeza y los hombros y ver el ancho y ondulante río Mississippi.

Luego concluyó su relato diciendo que unos hombres en un bote los encontraron y recogieron, les dieron de comer, los dejaron descansar y luego los condujeron hasta el pueblo.

Los dos muchachitos habían sufrido tantas emociones, tanta hambre y zozobra que tuvieron que reponer energías guardando cama. En verdad se sentían como quien sale de una enfermedad.

Ya repuesto, Tom se enteró de la enfermedad de Huck y fue a verlo, pero no le dejaron entrar. Al fin pudo hablar con él, unas semanas después, ya restablecido completamente.

Estaban caminando por el pueblo y pasaron delante de la casa del juez Thatcher. Tom se detuvo para visitar a Becky.

El juez y los amigos de éste que estaban allí, le preguntaron si tenía temor de volver a la cueva. Tom, por supuesto, les aseguró que no tenía ningún inconveniente en volver a ese lugar.

—Pues, mira —le dijo el juez—, seguramente que no serás tú el único. Pero ya hemos pensado en ello. Ya nadie volverá a perderse en la cueva.

—¿Por qué?

—Porque hace dos semanas que he hecho forrar la puerta con chapas de hierro y ponerle tres cerraduras.

Tom se quedó blanco como un papel.

—¿Qué te pasa, muchacho?… ¡Que traigan agua!…

Trajeron agua y le rociaron la cara.

—¿Qué te pasa, Tom?

—Señor juez, ¡Joe, el Indio, está en la caverna!

La noticia se desparramó como reguero de pólvora por todo el pueblo. Pronto, una docena de botes estaban en marcha. Tom iba en el mismo que conducía el juez. Al abrir la puerta de la cueva encontraron al indio Joe muerto, tendido en el suelo con los ojos abiertos, como queriendo ver la luz. Otros vecinos encontraron un tiempo después el cuerpo sin vida del compinche de Joe, quien seguramente había querido huir y se había ahogado, al no saber nadar.

Al día siguiente del entierro, Tom se llevó a Huck a un lugar solitario para conversar sobre graves asuntos.

Huck se imaginaba el tema, y la tristeza se le dibujó en el rostro:

—Bueno —dijo Huck—, quienquiera que sea que se apoderó del whisky de la posada, echó mano también al dinero, y me parece que ya no lo veremos más, Tom.

—Huck, el dinero no estuvo nunca en el número dos. ¡Está en la cueva!

—¡Repítelo, Tom!

Tom lo repitió cuantas veces se lo pidió Huck, que ahora mostraba un rostro resplandeciente de alegría.

Los dos amigos acordaron ir en busca del tesoro. Un poco después del mediodía tomaron prestado el bote de un vecino y se pusieron en marcha.

Desembarcaron y saltaron a tierra.

—Mira, Huck, desde donde estás podrías tocar el agujero con una caña de pescar.

El pequeño vagabundo no acertaba a verlo, hasta que su amigo se lo mostró, debajo de unas matas.

—Huck, no diremos nada a nadie. Aquí organizaremos nuestra gavilla con Joe Harper, Ben Rogers, tú y yo. Seremos los ladrones más intrépidos que se hayan conocido.

Entraron en la caverna y llegaron hasta el saliente donde Tom había visto al mestizo. Allí le mostró una gran cruz pintada en una de las rocas.

—Aquí está, Huck, es una cruz y el número dos.

—El indio dijo "debajo de la cruz". ¡Éste debe ser el lugar!

Descubrieron una ancha grieta debajo de la roca; los dos aventureros se metieron por el hueco. El lugar estaba lleno de recodos, hasta que llegaron a una cueva donde, en compañía de un barril de pólvora, dos fusiles enfundados, tres mocasines y un cinturón viejo, se hallaba… ¡el cajón del tesoro!

Los chicos llevaron el tesoro metido en varias bolsas hasta la entrada. Allí esperaron a que oscureciese. Pensaban esconder el dinero en el desván de la leñera de la viuda y, luego de repartirlo entre los dos, esconderlo en algún lugar del bosque. Cuando llegaron frente a la casa del galés; se detuvieron para descansar. Ya se disponían a seguir, cuando éste salió a la puerta:

—¡Eh! ¿Quién va ahí?

—Huck Finn y Tom Sawyer.

—¡Magnífico! Vengan conmigo, que están haciendo esperar a todos para darles una sorpresa. Yo les ayudo con estas bolsas. Pero… ¿qué es lo que llevan aquí?

—Hierro viejo —contestó Tom.

Los muchachos no comprendían la prisa del galés, y tampoco cuál era la sorpresa que les anunciaban.

Huck y Tom fueron llevados al salón principal de la casa de la viuda. El lugar estaba muy iluminado y en él estaban presentes las personas más destacadas del pueblo. Los muchachos tenían un aspecto sucio y desaliñado, así que la viuda, con todo cariño y amabilidad, les llevó a bañar y cambiar sus ropas, hasta los calcetines y zapatos, por otras nuevas y mejores. Cuando entraron al salón, el galés narró la historia de la intervención de Huck para salvar a la viuda. Todos quedaron admirados, y en especial la anciana, que agradeció muy cariñosamente al pequeño vagabundo. Por ello, muy conmovida, dijo ante toda la concurrencia que, desde ese momento, Huck viviría en su casa y que ella se ocuparía de pagar sus estudios en el futuro.

—Huck no lo necesita —dijo Tom ante el nuevo asombro de los presentes—, Huck tiene mucho dinero.

Y agregó:

—Esperen un minuto.

Tom regresó abrumado por el peso de las bolsas del tesoro y derramó el montón de monedas sobre la mesa:

—¡Ahí está! ¿Qué había dicho yo? La mitad es de Huck y la otra es mía.

Sé contó el dinero ante la admiración de todos. Ascendía a un poco más de doce mil dólares. Ninguno de los asistentes había visto reunida tanta cantidad de dinero, aunque algunos de ellos poseyesen más riqueza en propiedades.

El tesoro de los muchachos fue colocado a su nombre en el banco, y con los intereses que cobraban les alcanzaba y sobraba para sus estudios, comida y juegos.

Tom estaba muy contento, en especial porque el juez Thatcher tenía un alto concepto de él y Becky era su gran amiga.

Pero Huck no se sentía de la misma forma. Durante tres semanas soportó heroicamente sus angustias. Se sentía encerrado en la suntuosa casa de la señora Douglas. Hasta que un buen día desapareció. Dos días y dos noches lo buscó la acongojada señora, pero no lo encontró por ningún lado.

Tom, que conocía mejor que nadie a Huck, se dispuso a hurgar por entre las barricas viejas, detrás del antiguo matadero, y allí encontró al fugitivo. Huck había vuelto a ponerse sus viejas ropas. Acababa de despertar y de desayunar en aquel instante. Su comida había consistido en una variada cantidad de alimentos hurtados.

Tom lo sacó de allí, le contó los trastornos que había causado con su huida y lo convenció para que volviera a casa de la viuda.

Huck, sin embargo, no estaba del todo satisfecho. Dijo:

—Tom, esto de ser rico no me gusta. Yo soy feliz entre barricas, el río y la libertad. Además, si tengo dinero, no puedo ser bandido.

—Mira, Huck —dijo Tom—, el ser rico a mí no me ha de quitar el placer de ser bandolero. Sin duda que formaremos la banda que hemos jurado armar.

—Tom, no me dejarás afuera, ¿verdad?

—Mira, Huck, tú eres mi amigo, pero quiero decirte algo: en la banda de Tom Sawyer deberá haber bandidos destacados. ¡Qué dirían de ti, Huck, al verte así con estas ropas harapientas! A ti no te gustaría, ¿verdad?

Huck permaneció callado un rato y contestó:

—Bueno, pues me volveré con la viuda por un mes y probaré, a ver si puedo aguantarlo. Claro que sólo si tú me dejas formar parte de la banda…

—¡Trato hecho, Huck! Vamos. Yo le pediré a la viuda que te afloje un poquito.

—¿De veras, Tom? ¿De veras? ¿Cuándo formarás la banda para hacernos bandoleros?

—De inmediato. Reuniremos a los muchachos, y esta misma noche celebraremos la iniciación.

—¿Celebraremos qué?

—La iniciación.

—¿Qué es eso?

—Es jurar que nos defenderemos unos a otros y no decir nunca los secretos de la banda aunque lo corten a uno en tajadas, y matar a cualquiera, y a toda su familia, que haga daño a alguno de nosotros.

—Eso es divertido… muy divertido, Tom, de veras.

—Ya lo creo. Y todos esos juramentos hay que hacerlos a medianoche, en el lugar más solitario y más terrible que se pueda encontrar; una casa embrujada sería mejor. Sí, y hay que hacer jurar sobre un cajón de muerto y firmarlo con sangre .

—¡Magnífico! ¡Vaya! ¡Si es mil veces mejor que hacer el pirata! No me apartaré de la viuda sino hasta que me pudra, Tom. Y si llego a ser un bandido de los de primer orden y que todo el mundo hable de mí, creo que se sentirá orgullosa de haber sido ella quien me recogió de la calle.

Y así, entre las callejuelas de un humilde pueblo, se fueron caminando, envueltos en mil y una fantasías, los dos aventureros inseparables: Tom Sawyer y Huck Finn.

GUÍA DE TRABAJO

❧

REFLEXIONA Y ESCRIBE

a) ¿Cuál de todas las aventuras de Tom Sawyer te agradó más? Narra una aventura que hayas tenido o que quisieras tener.

b) ¿Qué harías tú si encontraras un tesoro?

c) Escribe una crítica acerca de la obra. ¿Cuáles partes te gustaron y cuáles no? Explica por qué.

d) Escribe una carta dirigida a Tom Sawyer invitándolo a ser tu amigo.

a) Monta un escenario sencillo con una caja de cartón forrada con papel de colores, fabrica títeres (de papel, tela, unicel, etc.) y escenifica el o los capítulos que más te hayan gustado de la obra.

b) Diseña una portada para *Las aventuras de Tom Sawyer*.

c) Escribe una narración corta a la que titules *Las aventuras de…* y añade tu nombre. Al terminar de escribir, dibuja una portada para tu propio libro.

Contesta las siguientes preguntas:

a) ¿Por qué razón usaba anteojos la tía Polly?

b) ¿Podrías describir a Becky?

c) ¿En qué momento mató Joe, el Indio, al médico?

d) Cuando Tom, Huck y Joe Harper decidieron ser piratas, ¿cuál era la contraseña?

e) ¿Qué apodos tenían los tres piratas?

f) ¿Qué tipo de vida era la que Tom decía que le gustaba?

g) ¿Cuál era el nombre completo de Becky?

h) ¿Qué decía Tom que haría con su parte, en caso de encontrar un tesoro?

i) ¿Cuánto tiempo permanecieron perdidos en la caverna Tom y Becky?

j) ¿Se sintió feliz Huck con su nueva vida de rico?

Lee con atención las siguientes afirmaciones y selecciona falso o verdadero según sea el caso.

	V	F
a) Tom y Huck juraron no delatar al asesino del doctor porque temían que Hoss Williams se vengara de ellos.	( )	( )
b) Tom, Huck y Joe Harper robaron una balsa para transportarse a la isla.	( )	( )
c) La primera mañana que pasaron en la isla desayunaron huevos con tocino.	( )	( )
d) Mary era una prima de Tom.	( )	( )
e) Cuando Tom y Joe fumaron en pipas por primera vez, les encantó.	( )	( )
f) Tanto Tom como su amigo Huck eran huérfanos de madre.	( )	( )
g) Mientras Tom, Huck y Joe se hallaban en la isla todos en el pueblo creían que habían muerto ahogados.	( )	( )
h) El señor Dobbins, el maestro de la escuela, siempre había soñado con ser marinero.	( )	( )
i) El indio Joe murió ahogado en la cueva.	( )	( )
j) El dinero del tesoro ascendía a más de doce mil dólares.	( )	( )

A. Busca el significado de las palabras en negritas y reemplázalas por un sinónimo.

- Al enfrentarse, se miraron con **recelo**.
- Observó la **empalizada** con profunda tristeza: ¡veinticinco metros de valla de más de dos metros de alto!
- Estaba segura de que Tom había **desertado** hacía ya mucho rato…
- Mientras cerraba el armario, Tom le **escamoteó** un buñuelo.
- Huckleberry iba y venía a su antojo, dormía en los **umbrales** de las casas cuando el tiempo era bueno y dentro de toneles cuando la lluvia arreciaba.
- Sin embargo, Joe hizo su declaración acusando a Muff Potter, ante los **atónitos** ojos de Tom y Huck.
- Tom **palideció** y bajó los ojos.
- Se puso en pie y se fue, **abochornado** y **abatido**.
- Supo que se les tenía por muertos, ya que la balsa había **encallado** en la costa.
- Cuando la tormenta terminó, los muchachos encontraron todo **anegado**.
- El **asueto** de ese día parecía una **pesadumbre** para todos los chicos.
- Becky le lanzaba **furtivas** miradas y Tom aparentaba indiferencia. Ya que su amigo se mantenía **desdeñoso**, Becky pensó en vengarse.

B. Busca en un diccionario el significado de las palabras que aparecen a continuación. A fin de que retengas su significado y amplíes tu léxico, úsalas después en una o varias oraciones:

festival	prepotente	forcejear	degüello
piolín	encandilado	vacante	olmo
deliberar	sigilosa	bajío	púlpito
vado	desaire	desplante	letargo
patraña	fatídico	júbilo	estalactita

Respuestas

Comprensión de lectura

a) Por pura elegancia.

b) Era una hermosa chica de ojos azules y trenzas rubias.

c) Mientras Muff Potter se hallaba desmayado en el suelo a consecuencia de un golpe que recibió del doctor.

d) Sangre.

e) Tom: el "Terrible Vengador de la América Española"; Huck: el "Manos Rojas", y Joe: el "Terror de los Mares".

f) Una en que no tuviera que levantarse temprano, ni lavarse, ni ir a la escuela.

g) Rebeca Thatcher.

h) Se compraría un tambor, una espada de verdad, una corbata colorada y, además, se casaría.

i) Tres días y tres noches.

j) No, él prefería vivir entre barricas, el río y la libertad.

Verdadero o falso

a) F	b) V	c) F	d) V	e) F
f) V	g) V	h) F	i) F	j) V